君の行動に愛はあるか？

SOME
THING
NEW
FORWARD
商品明細

SOME
THING
NEW.
SOME
THING
NEW

目次

はじめに 12

長坂真護プロフィール 28

愛 love 31

希望 hope 41

仕事 work 63

真実 truth 79

成功 success 123

自己 self 159

夢 dream 195

使命 mission 211

music「心の月」 237

作品名一覧 238

福田秀世プロフィール 239

はじめに

落ちるところまで落ちた

そこが僕の出発点だ。失うものはない、そう思った時に心に火が灯り、爆発する。それがロケットのように僕をいつも飛ばしてくれる。

僕はちょっと変わった美術家だ。西アフリカに位置するガーナ共和国のアグボグブロシーに廃棄された世界中のごみからアートを作っている。壊れたゲーム機、テレビや録画機のリモコン、携帯電話など、ここはありとあらゆるデジタルのごみが集まってきている電子機器の墓場だ。デジタルのごみの山からは燃やした時にガスが出て、少し歩いただけでひどい頭痛がする。ガスマスクなしでは、とても歩くことができない。それをここに住む人たちはガスマスクなしで、生活をし、この廃棄物とともに暮らしている。

僕はこのガーナのアグボグブロシーという街に導かれるようにしてやってきた。それを導いたのは僕のDNAなのかもしれない。とにかく、僕はこの街に行かなくてはという思いにかられ赴いたのだ。

ここで僕という人間をもう少し説明する必要がある。今は美術家として生計を立て、僕の作品は一番安いものでも30万円、1000万円で購入してくれる人もいる。こう聞くと、とんでもない成功者のように思われるかもしれないが、30歳まで地をはうような生活だった。

福井の田舎町で生まれた僕は歌手になりたいという夢を持って、高校卒業と同時に東京へと向かった。ただ、歌手になる夢だけでは親も賛成してくれなかったので、新宿にある服飾専門学校に進学した。ここでターニングポイントが訪れる。子どもの頃から絵を描くことが得意だったので、洋服のデッサンはかなりの自信があった。デッサンや絵のコンテストがあれば応募し、全国の最終選考４人に選ばれたこともある。

――俺は絵の才能があるのかもしれない。

　絵に関して自信を持ち、絵本作家になりたいと出版社に絵を持ち込んだこともあった。相手にはされなかったけれど、なぜか絵に対してだけは、自分はイケるという思いがあった。しかしこれが僕を第一の挫折へと導く。あるコンテストで敗北してしまったのだ。優勝すれば留学ができるという条件に惹かれて応募し、自信もあった。だけど選ばれたのは同じ学校の生徒だった。落ちた理由はこうだ。

「君は実力があるんだから、留学する必要なんてない」

　審査員の一人にそう言われて、「はあ？」となった。そんな理由で落とされるのか。悔しくて母親に電話をした。「俺のほうが才能あるのに」と泣きついた僕に母親は一言、

「３年間も学校に行ったのに、成長したのは鼻だけね。天狗になったのね」

と言った。なんでそんなことを言うんだ。それが母の愛情とは知らずに、ただただ腹を立てた。

「もういい！　あなたには頼らないから、二度と俺の人生に口出ししないでくれ」

　電話を切り、新宿の街のど真ん中で立ちつくした。金を稼いで世間を見返してやる。何かに引っぱられるように、僕の足は歌舞伎町に向いていた。

ナンバー1ホストになる

歌舞伎町に向かった理由はひとつだ。お金を稼ぐにはホストしかない。ホストにはきらびやかな夜の街で、高級シャンパンを何本も開け、ものすごく稼いでいるイメージがあったが、最初は全く稼げなかった。1日14時間労働で手取りは月4万円。全然、生活できなくて、家賃すらその時に出会ったお客さんに払ってもらっていた。情けねえと思った時、さらなる試練が訪れた。お客さんの一人が100万円のツケを残して、行方をくらましたのだ。代償を払わされたのは僕だった。何をやってもうまくいかない。マンションから飛び降りようと思ったことは何度もある。ただ、ここで死んだらみっともないと思った。落ちるところまで落ちて、どん底からスタートする。友達から50万円、カードローンで50万円借りて、店に借金を返した。がむしゃらに働き、街で女の子という女の子に声をかけ、売り上げを伸ばしていった。7カ月ぐらいになると、給料も月80万円となり、借金も一気に返せた。手元に残ったお金でスーツを買い、身なりを整えた僕はその店のナンバー1になっていた。

札束がメモ帳にしか見えない

ナンバー1ホストになってからは月の給料も300万円ほどになった。しかし稼いでも稼いでも残るのはむなしさだけ。札束もメモ帳にしか見えず、ありがたみを感じなくなっていた。

人は大義のないものでお金を稼いでも幸せになれない。

そう気づいた。だったら、自分の好きなことをしよう。年収3000万円ほどあったから、留学じゃなくて、起業しよう。専門学校生時代に服飾を学んでいたから、ファッションブランドを立ち上げた。ホストで稼いでいたから、社会経験がほとんどないくせに、自分は何でもできると勘違いしていた。そういう世間知らずに付け入る人間もいる。君のビジネスを手伝ってあげるよっていう男にまんまとだまされた。気がつくと3000万円の資金を、すべて失っていた。その人のことを信頼していたから、僕はまたまた絶望に陥った。25歳の時のことだった。何度目のどん底だ。もうだめだ。死にたい。そう思っても、人間はいざという時には死ねない。その上、僕はプライドが高い。友人から「会社の調子どう？」と聞かれても、「いいよ」って答えていたし、ホストクラブで稼いでいたせいもあって、コンビニでバイトなんてことも考えられなかった。年収3000万円だった男がなんで、バイトしなきゃいけないんだよって。そのくせ、当時、付き合っていた女性に食べさせてもらったり、知人の家を転々としたりして、時にはネットカフェにも泊まった。ヤドカリみたいな生活だった。すべて失った中で、大きく手を広げ、「俺に何が残っているだろう」と考えた時に、手元にあったのは、絵だった。

路上で絵を描き始める

ずっと絵を描きたかった。理由なんてない。自分の中のDNAがそうしたいとずっとうなっていた。やるなら水墨画だ。墨なら100円で買えるし、北陸の地元福井の、越前和紙を無償で受けることもできた。あとは場所。路上だ。ギャラリーは来る人も限られているし、家賃だってかかる。路上なら貧乏な人でもお金持ちでも、いろんな人が行き交うだろう。できるだけ人が往来するところがいい。ならば新宿か銀座だ。ホスト時代に着ていた白いスーツを着て、歌舞伎町で絵を描き始めた。それが美術家としての新たなスタートだった。

僕は“自分じゃなくても、できる”と思ったことは絶対にやらない。その信念で今もずっとやっている。自分じゃなくてもできるものをひとつひとつ除外していったら、残ったのが絵だった。それだけだった。路上でのパフォーマンスが違反だと警察と何度もバトルになったことがある。だけどもめげずにスーツを着て、路上で絵を描いていたことで、声をかけてもらえるようになった。僕が30歳になった時に新宿駅東南口にある新宿のFlags（フラッグス）から広告塔にならないかというオファーをもらった。以前、この施設の前で絵を描いていて、当時の警備員さんから、何度も注意を受け、警察まで呼ばれたことがある。人生不思議なもんで、そんな場所から広告塔にならないかという話を頂くことができた。

全世界500軒のギャラリーに売り込み

転機といえばいくつもある。それこそ数えきれないぐらい。路上で絵を描き始めて数年して、世界中を回りたいと考えるようになった。

とはいえ、まだ美術家として認められていなかったので、金銭の捻出には苦労した。コンテストに出て、優勝して得た100万円を渡航費にあてたこともあるし、行った先の国で海外製品のスマートフォンをいくつか買って、それを転売して、お金を得たこともある。いつもギリギリだった。パリに行きたいと言ったら、「チケット代になるかな」と10万円で作品を買ってくれた人もいた。そうやって世界16カ国回った。全世界、それこそ、ニューヨークやチェルシーなど500軒ぐらいのギャラリーに売り込みに行ったけど、相手にはされなかった。最後の最後、日本に帰る前に立ち寄った中国・上海《シャンハイ》のギャラリーで僕の人生はまた変わった。そのギャラリー名には「TOKYO」とあり、日本に精通しているのかな、と門を叩いた。オーナーは中国人で大の東京好き。僕の作品を見せたら、「うちで個展を開こう」と言ってくれ、初めての個展が上海というかたちになった。2015年11月のことだった。そこで生涯忘れられないことが起こった。

すぐにパリに行け！

個展の準備のため、上海にいた僕に衝撃的なニュースが飛び込んだ。パリ同時多発テロだ。死者130人、負傷者は300人以上という最悪のテロ事件。その惨劇をテレビや新聞で目の当たりにするたびに体が震えた。この個展を終えたら、すぐにパリへ行こう。ちょうど1年前、3カ月ほどパリに滞在していたこともあり、現地の状況が非常に気になった。あの場所はどうなっているのだろう。個展を無事済ませ、いてもたってもいられずにパリへと飛び立った。

テロがあった後のパリの恐怖に包まれた空気はいまだ忘れることができない。街には花を手向けて、泣き崩れる人たちの姿があり、僕は何ともいえない無力感を味わった。1年前、この街を訪れた時は、絵でそこそこ食えるようになっていたし、それこそ、絵の力で何か世界が変えられると思っていた。テロが起きる前に、戦争が世の中からなくなってほしいという願いを込めて、人を殺す銃にコンドームを被せた作品を発表していた（135ページに掲載）。アートで世の中を変えられるなんて自分のエゴだ。僕が作品を出しても、人は殺される。パリのアパートで2カ月ぐらいは、どうしたらいいんだと、毎日、落ち込んでいた。

俺が絵を描く必要なんて、世の中にない……。

落胆もどん底まで来たある日の夜、アパートの窓の外を見ると満月が輝いていた。その瞬間、悩んでいることや野心が一瞬で消えた。満月はもしかしたら世界平和につながっているのかもしれない。これからは月を描こう。これまで描いてきたものはいったん手放して、この満月を。そうして2015年11月13日のパリ同時多発テロをきっかけに、日本に帰って、「世界平和の空気清浄器、満月」を発表した（153ページに掲載）。それが月を描く始まりだった。

サステイナビリティが僕を動かした

この頃に描いた月の作品はほとんど売れなかった。月の絵で世界平和が訴えられるわけじゃないとも言われたけど、僕はそんなことは気にしなかった。とにかく自分ができることを、と思ってがむしゃらにいろんなものを描いた。

2016年1月にMAGO CREATIONというカンパニーを立ち上げた。これはサステイナブルな手法を用いて、世界平和と環境保全を実現するというコンセプトのもと、起業した。たまたま、テロ後のパリ訪問中に知り合ったロサンゼルス出身の友人が、サステイナブルビジネスをしていると教えてくれたからだ。サステイナブルは環境保全をしながら持続可能な産業や開発を行うこと。それならば絵を売って、地球上のごみを減らすことができるんじゃないか。ピーンと来た僕はすぐに行動に出た。

僕がサステイナブルカンパニーを立ち上げると、「慈善事業家になったのか？」「NPOでも立ち上げた？」なんて、ちょっと嘲笑気味に聞かれたこともあった。だけど、このコンセプトに賛同してくれる人もいて、スポンサーも現れ、ファッションブランド「HEMD by MAGO」を立ち上げたことも重なり、いろんなことがうまく回りだした。新宿Flags CMでライブペインティングをするという話も来て、僕がデザインした服を着て、なんと僕自身が作詞作曲した楽曲を僕が歌うという展開まであった。

全部、かなった。歌手になりたくて東京に来た夢も、デザイナーになりたかった夢も、絵を描きたかった夢も全部。自分の夢はここで完成した。もうこれ以上ないというところに気づいた。

そんな時だ。一冊の雑誌のある記事が目に留まった。フィリピンにあるスラム街で1人の女の子が、見渡す限りのごみの山の中でごみを持って立ちつくす写真があり、鳥肌が立った。これまで世界中を旅し、いろんな光景や空を見てきたけれど、世の中ってやはり不平等だと再認識した。僕はずっと先進国の極みを目指し、ニューヨークなんかに行って現代アートに挑戦したけど、自分の夢はそこにはない。僕のDNAが再び、うめきをあげた。

行動こそ真実

人はふつふつと第六感から浮かんでくるエネルギーを信じて動く。あの日の僕もそうだった。スラム街をアートで救いたいと思ってから、すぐに行動に移そうとした。フィリピンに行くつもりだったけれど、そのスモーキーマウンテンはもうなくなっていた。ほかに同じようなスラム街はあるのか。よくよく調べてみたら、アフリカ奥地のガーナ共和国に同じような状況の場所があった。世界から廃棄物が集められ、電子機器の墓場となっているその地。廃棄物から発せられる有毒ガスで、人々が苦しめられていることも知った。

ここだ。

僕はすぐに旅に出る準備をした。アフリカには行ったことがなかったし、電子機器の墓場となっていることを知った時、ある思いが脳裏をよぎった。ちょっと待て、以前、自分は海外で買い付けてきた電子機器を売って渡航費を稼いでいた。その電子機器の墓場がアフリカにある。ガーナだ。僕の行くべきところは。そう思って、ガーナ行きの航空券を買った。

その頃、すべてやりたいことはやりつくしたと感じていたと同時に心が震えなくなっていた。テレビ局から全国放送の番組で絵を描いてほしいとオファーがあって、描いてみたものの、その番組のプロデューサーが描いてほしいというものを描くのはなんだか手錠をつけられているのと同じだと思った。

とどめは製作費を何百万円もかけて、とあるデパートのクリスマスアートを手掛けた時だった。これだけの大きな規模で製作したアートが、12月25日で展示が終わると、廃品処理会社が来て、僕の作品をたたき割って持って行った。消費社会に自分は参加している。むなしくなり、ひたすら引きこもって落ち込んだ。

俺ってなんだろう、と考えた時に、背中を押されるようにガーナ行きを決めた。行くべき道を行け。足かせがなくなり、呪縛が解かれ、目の前の扉がバーンと開かれたような瞬間、僕はすべてをさとり、ガーナへと向かった。

ガーナでの洗礼

ガーナで僕は異質だった。それは行きの飛行機から感じていた。日本からパリのシャルル・ド・ゴール空港を経由し、そこからガーナを目指す時点で肌の色が違う。ガーナに近づけば近づくほど、周りの肌の色は濃くなっていった。

ガーナのコトカ空港には深夜に着いた。にもかかわらず1000人以上の人が空港にいて、「荷物を持たせてくれ」と客引きをしてくる。そのエネルギーに圧倒された。タクシーでガーナの首都・アクラにある民泊までたどりつき、そこで1泊。朝6時に起床し、数キロ離れたところにある問題のスラム、アグボグブロシーを目指した。

アクラはガーナ最大の都市だ。そこから歩いて1時間ほどのところにスラム街がある。僕は徒歩で向かった。ギラギラとした太陽の光が肌を刺し、カラカラに乾いた砂煙でのどをやられた。道の途中にある川は汚れ、腐敗臭がする。すべてがむせるような悪しき環境だった。

アグボグブロシーについてまっさきに目に飛び込んできたのは世界中から集められた電子機器の山だ。砂ぼこりにまみれ、ごみとして積まれていた。そこら中から有毒ガスが放たれているせいか頭がずきずきと痛む。何よりもここで、僕は異質だった。肌の色が1人違う。

「チャイニーズ、ホワイトマン！」

すべてが罵声に聞こえる。とんでもないところに来てしまった。不安を周りにさとられないように歩いた。すると1人の若い男が近づいてきた「How are you？」と気軽に声をかけてくる。僕は「君たちの生活が見たい」と言った。

「じゃあ、ついて来いよ」

彼が言うのでついていった。信じていいのかよくわからなかったけれど、ここで誰を信じればいいんだ？　なるようになるだろう。そう思って、僕は彼についていった。

彼の名前はマックスといった。ガーナ北部の田舎町から出稼ぎにきた若者だ。スラム街を案内してくれるというので、だまされる覚悟で彼についていった。途中、マックスは市場に立ち寄り、2錠ほどの薬を買った。頭痛薬だと言う。ここでは頭痛薬が手放せないほど、毒ガスで頭をやられてしまうのだ。

僕に何ができる

マックスが連れて行ってくれた場所はセカンドと呼ばれるアグボグブロシーの工場地帯だった。ここで若い人たちが働く。彼らは世界中から集まった壊れたブラウン管、古いパソコン、いつの時代のものかわからない冷蔵庫。これらの廃材をうまく組み合わせて彼らは自分たちの住み家を建てていた。ここには世界中からものすごい数の電子機器の廃材が集まってくる。この廃材から金属を得るため、彼らは焼却場で命を切り売りし、朝5時から夕方5時まで日本円にしてわずか500円程度の賃金で働く。僕たちが便利に使ってきたものの後始末を、彼らにさせている。焼却場はとても危険で時々、爆発も起こす。彼らはやけどを負い、そして毒ガスでむしばまれていく体をだましだまし使いながら、日々の生活を送っている。

ここで僕に何ができる。自分に問いかけた。やっぱり僕にはアートしかない。だったら、アートでここの現状を伝えよう、この廃材を使って作品を作ろう。

電子機器の廃材を日本にいくつか持ち帰って、これらを再利用してひとつの作品を仕上げた。ガスマスクをつけた若い男性の顔半分がとけている絵にキーボードやポータブルラジオ、リモコン、ゲーム機を額縁のようにあしらった。これらの廃材だって、もともとゴミだったわけじゃない。リモコンにしたってゲーム機にしたって、すべて誰かの手で作られた作品なのだ。それをもう一度、アートとして生まれ変わらせる。それが僕の使命だと思った。

こうして廃材を使って作り上げた「We Are The Same」が誕生した（127ページに掲載）。

僕も食物連鎖のひとつだ

ガーナでの日々はどれも衝撃的だった。お腹を壊すのは当たり前。抗マラリア薬の飲みすぎで、鬱状態になることもあった。

原因不明の病に倒れたこともある。重度の吐き気と下痢で、死まで覚悟するほどの苦しみだった。意識もうろうとした中で、ガーナで一番良いと言われた病院に行くと、日本のような建物の中ではなく、申し訳程度に屋根があるぐらいで、病室は半分屋外みたいな状態。そこで受診するまで３時間待ちと言われた。とりあえず１万円払えばすぐに見てもらえると言われ、仕方なく払った。そこで強い抗生物質を何本も打たれ、さびた椅子に座らされ、じっと耐えた。生温かい空気が余計に体調を悪化させる。ガーナの看護師の中には腕の悪い人もいて、点滴を変える時、針を刺すところを間違えたのか、血が一度に噴き出してしまった。血がぽたぽたと床に落ちていく。それを意識もうろうとした状態で眺めていたら、どこからかハエがたかってきた。ハエたちは床に落ちた僕の血を吸い始めた。

―― 今の俺はハエよりも弱いんだ……。

僕の血にたかるハエを見て、自分も食物連鎖のひとつだと感じた。ここで負けたら、俺はハエ以下になってしまう。ハエに負ける、アフリカに負ける人生で終わってたまるものか。回復したら、倍にして返してやる。ヘロヘロになりながらも、体のどこかでまた、炎が燃え盛っていた。

目的を達成するまでは欲をすべて捨てる

ガーナでの生活で確実に僕の人生は一変した。サステイナブルで世界平和を目指す。これが理念となった。寄付では抜本的な解決にはならない。彼らの生活自体が向上しなくては。ガーナから帰国してから東日本橋のビルで「MAGO ART HOSTEL」を開いていた。これは海外旅行者向けの簡易宿泊所で、満月の絵やガーナで持ち帰った廃材で作ったアートを展示したりしていた。

これだ。

ガーナにミュージアムを作ろう。

アートでガーナを支援したい。ミュージアム以外にも学校も建てたい。10年、20年かかってもいい。そのためには、ミュージアムが建つまでは、自分が持つ欲、たばこ、お酒、性欲、すべて捨てると決意した。何もかも捨てないとできない気がしたし、実際にそうだった。

地位も名誉も、コネもない弱い自分だって強者の急所を射ることができるんじゃないか。そのためには死んだっていい。何度も落ちるところまで落ちた人生だ。それからお酒もたばこも女性との関係もたった。そして2年後、ガーナにミュージアム「MAGO E-waste Museum」をオープンさせた。

自分のＤＮＡを信じろ

何かに導かれるようにして、僕の人生は進んでいく。それはDNAに動かされているだけで、自我などない。いま、年間500枚ぐらい絵を描いているけれど、全然、苦だとは思わない。それは自分自身のDNAが喜ぶことをしているからだ。だから、どんなにギャラが良くても、他の美術家なら飛びつくような案件だとしても、自分のDNAが拒否している限りはやらない。DNAに反することをしているから、精神的に苦しくなって、鬱になったり、引きこもりになったりするのかもしれない。

DNAはiPhoneでいうと、iOSのようなものだと思っている。精神をソフトウェアに置き換えると、1つでもバグがあったら動かない。しがらみがバグだとしたら、それをこれまでの人生、1つ1つつぶしていって、MAGOという完ぺきなOSを作った。それを今、バージョンアップしている状態だ。

自分の教師は行動だ

この本を執筆している時にこんなことがあった。僕の絵を250万円で買ってくれた人がいたのだ。その人は太陽光発電のビジネスが好調で、そのお金で絵を買ってくれたのだという。その話を聞いて、エキサイトした。ガーナの廃材を使ったアートが宇宙からのエネルギー、太陽光発電で得られたお金で購入された。なんてロマンがあるんだ。宇宙エネルギーがこれからの未来、人間の発展をサポートしていくなら、こんなにうれしいことはない。もう、無駄に天然資源を掘り起こすこともない。世界平和と環境保全に経済が並行して進んでいく。これぞ僕が求めていたサステイナブルキャピタリズム（新たな資本主義）だ。

僕は学者でもなければアインシュタインでもない。だけど、自分のDNAを信じて行動してきた。その結果が、いま、まわり始めている。大切なことはすべて自分で起こした行動が教えてくれた。それを僕はTwitterというツールを使い、140字という言葉で紡ぎだしてきた。そこに響くものがあれば、こんなにうれしいことはない。

次のステージは何だ。アグボグブロシーに青いラグーンと豊かな大地を取り戻すことだ。それまで僕は自分のDNAを信じ続ける。

長坂真護（Nagasaka Mago）プロフィール

1984年		福井市に生まれる。
2006年	22歳	新宿のホストクラブで指名数・売上の両方でナンバー1になる。
2007年	23歳	アパレル会社設立。
2008年	24歳	アパレル会社倒産。路上の絵描きになる。
2012年	28歳	渡米。ニューヨークで路上の絵描きになる。
2015年	31歳	西洋美術と現代美術を組み合わせた「無精卵をかぶる女」を発表。 パリ同時多発テロが発生。アートで世界平和を実現すると決意。
2016年	32歳	新宿Flagsの巨大ビジョンで、ライブペインティングのCM放送が流れる。

2017年　33歳　ハリウッドオスカー賞の前夜祭で、日本人初のライブペインティングショーを行う。
（6月）経済誌の1枚の写真をきっかけに、アフリカ、ガーナにある世界の電子機器の墓場、死に汚染されたスラム街といわれる「アグボグブロシー」を訪問。
その現地の廃棄物を再利用した環境保全を目的としたアート作品「We Are The Same」を発表。
アートでスラム街を救うと決意。150億円のリサイクル工場設立を最終ゴールとする。

2018年　34歳　スラム街の人々をモチーフに描いた作品が1500万円で落札される。現地に完全無料の小学校を建設する。

2019年　35歳　アグボグブロシーに「MAGO E-waste Museum」を設立。
「MAGO GALLERY」を大阪・滋賀にオープン。

2020年　36歳　ハリウッド映画監督によるドキュメンタリー映画“Still A Black Star”の制作資金をクラウドファンディングで募り、31,320,781円を獲得。この金額は、CAMPFIRE映画部門で歴代1位。（2020年8月現在）
（8月）アメリカの映画賞「Impact DOCS Awards」で、4部門受賞。
「MAGO GALLERY」を福井・銀座・倉敷（予定）にオープン。

love
愛

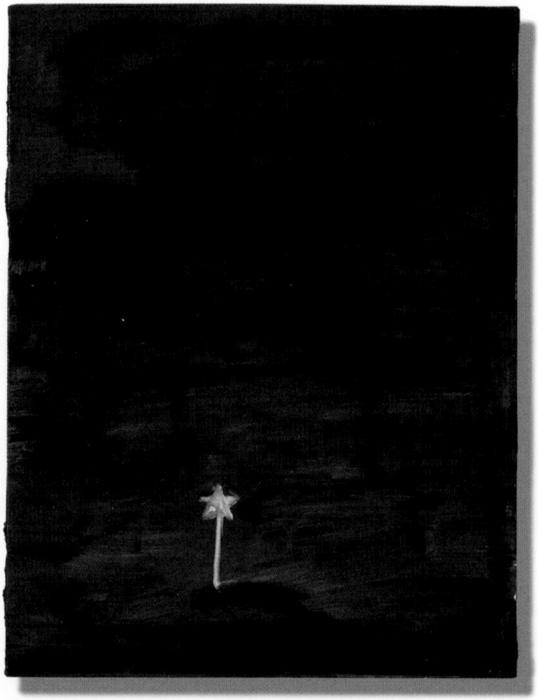

世の中は、愛があるか、ないか
それだけだ。

仕事の取引で一番大事なのは、
利益より愛です。

利益で愛は生まれないけど、
愛で利益は生まれます。

TOYOTA
D-4D

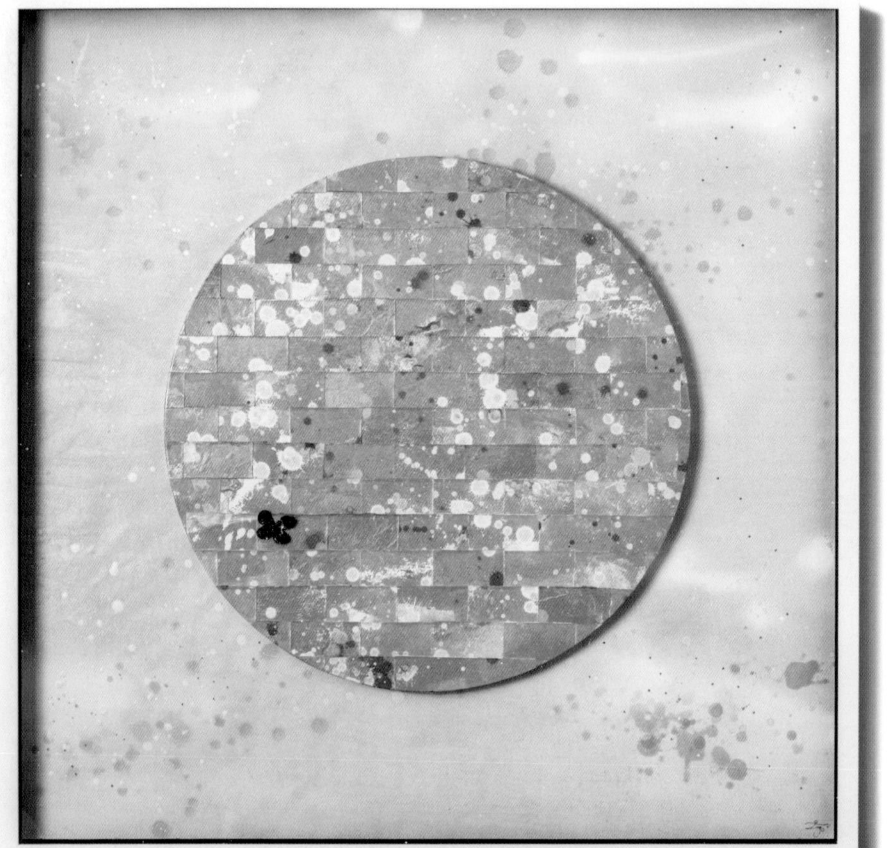

問いの答えは愛にある。

食べる事に感謝を忘れたら、目の前に居る、大好きな彼女も溶けていなくなるかも。

hope
希望

不安だと思ったことをとことん追求して、
打開策を見つけると希望に生まれ変わる。

よくよく考えると、
悩みとは次の行動をするための
種だということに気づいた。

EASY my LIFE
We are the ONE
IF THE RAIN
ARTとまりあでする必要
ありがとう
これからは、
はみんなSAME
このとりの皿
We ARE THE ONE

苦しみや、悩みは何故あるのか？

それは克服するためにある。

幸せを摑《つか》むためにある。

悩み、苦しみが深ければ深いほど、

より深い幸せが訪れるので、

その日まで苦しみ続けよう。

悩み続けよう。

幸せの日は

ある日突然やってくるので。

嵐が過ぎた朝に安らぎを感じる。

喪失は創造の源。

TALK
You What
You What
Going
ON
TO
TO
REAL
REAL

破壊があるなら再生がある。
枯れるなら芽吹ける。

沢山の苦しみは幸せの両親だね！

welcame to
welcame to
our
our
world
world

II
BBuutt
II'
AAmm

空にかかった曇り空が厚ければ厚いほど、
差し込んだ光は眩《まぶ》しく感じ、
たとえ激しい雨に変わったとしても止まない雨はない、
強くたくましく根を張り、緑の両手を広げ、
一輪の美しい花を咲かせたいと、
蕾《つぼみ》ながら思うのです。

今日少しばかり海をみて、その寛大さ、そして太陽の光を跳ね返す水面《みなも》の美しさを教えてもらった、ありがとう。

WHEN I WAS YOUR...

スランプのときって、
次のバージョンにOSアップグレードする、
システムメンテナンス中なんだよきっと！

work
仕事

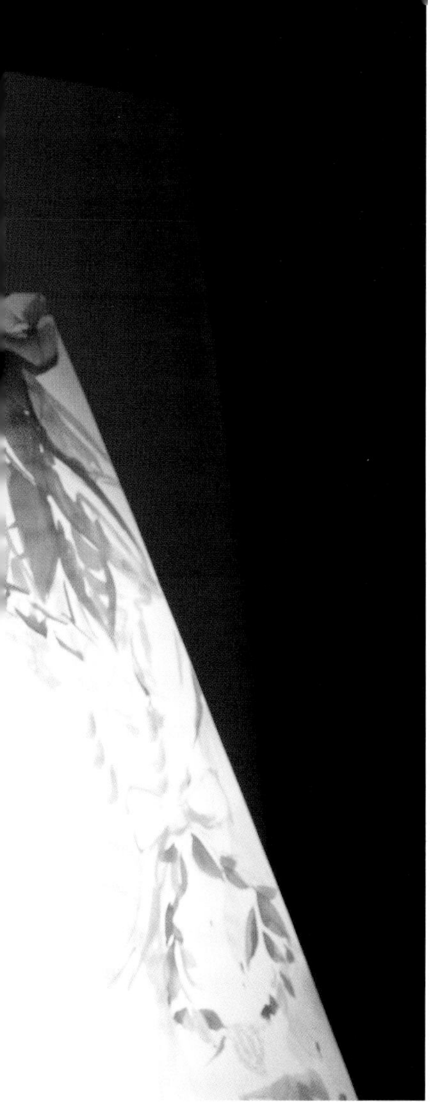

絵を描くって行為は本当に癒やされる、心から僕を抱きしめてくれるのは絵だけ。それくらい心地よい。

タダでも、無報酬でもやりたいと思うことが1つでもあればいい。

WE
FIX
IF
YOU
CAN
MONEY
hAVee

人は無益を主張することで、
信頼を勝ち得る。

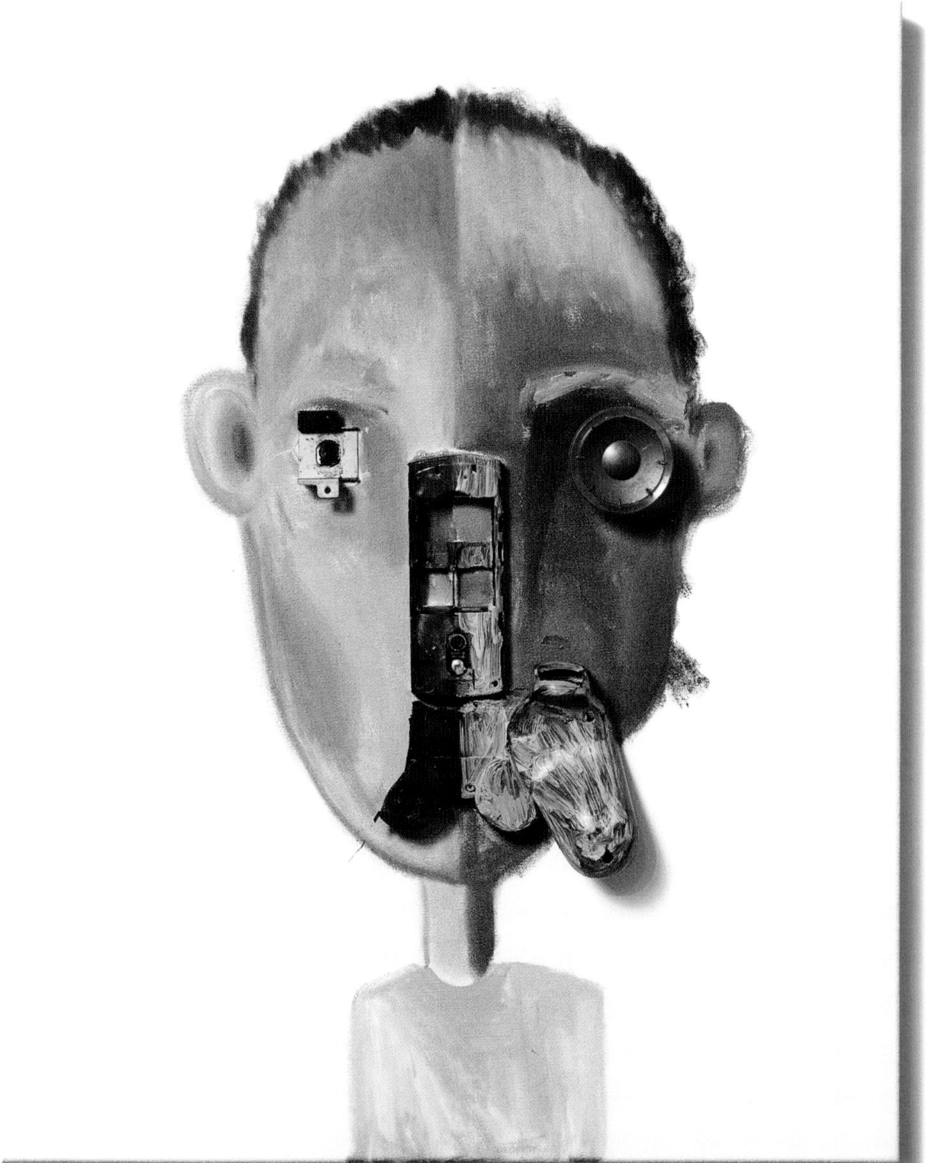

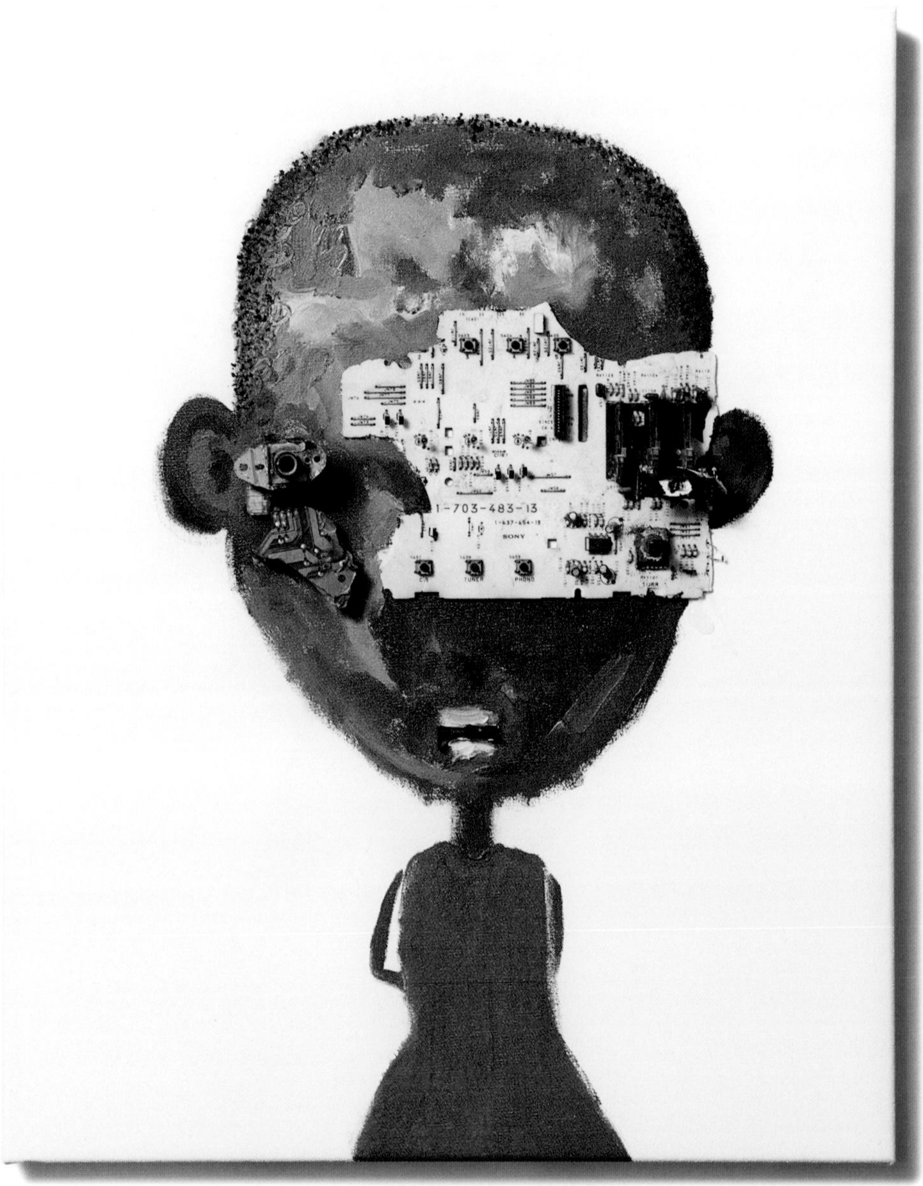
1-703-483-13
SONY
TUNER
PHONO

結果を愛すな、
プロセスに恋せよ。

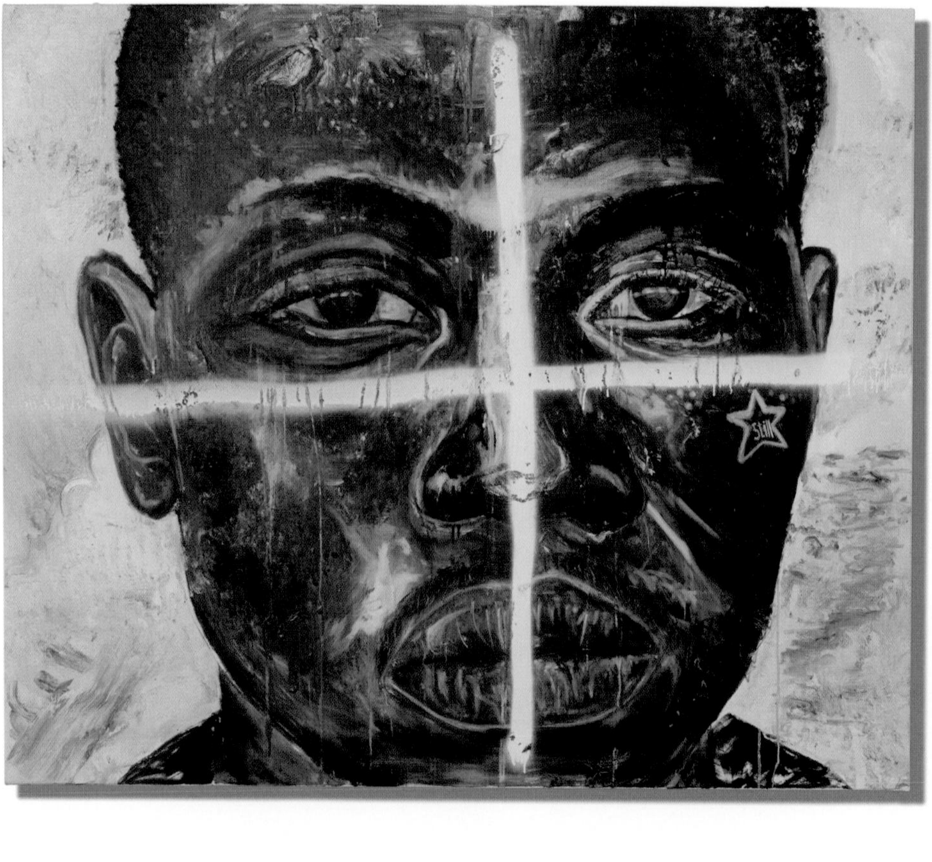

圧倒的な勝利をビジネスで収める人間は、
圧倒的に困っている人を助けなくてはならない。

忙しいって楽しいって、思える年
になれて嬉しい☆

Dulux
Acrylic PVA

私は地球というキャンバスに
置かれた、絵筆だということ。

truth
真実

MAGO
ART&Study

真実は経験からしか学べない。

行動こそ真実。

正直者は馬鹿を見ない。
善の行動は必ず返ってくる。

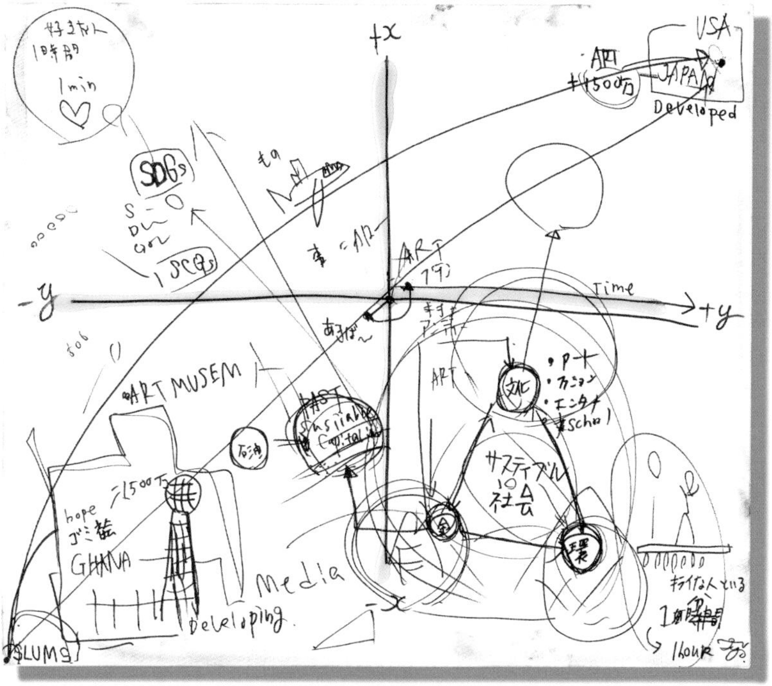

男は賢いフリはやめろ。
女は馬鹿なフリはやめろ。

自分の想像出来る創造なんて大した事ないから、
経験に頼るな、勘に頼れ。

小さい人間に対して、
苛立つ自分もまた小さい。

AFTER ALL
Yoo!Mart
Money
×
Trust
×
ART
BUT
At the
SAME
MEAN
Right?

壁にぶつかった時、もちろん頭で解決する。
思考で解決するが、思考の解決先は必ず行動
に向かうように仕向ける思考が大切。

行動は事実を教え、事実の積み重ねが、
真実を教えてくれる。
真実というものは決して美しいものではない。
そのために美術というものは、その術を持って、
美しさを放つ。

思考というものは、
森のハイキングに似ている。
考えすぎると樹海になる。

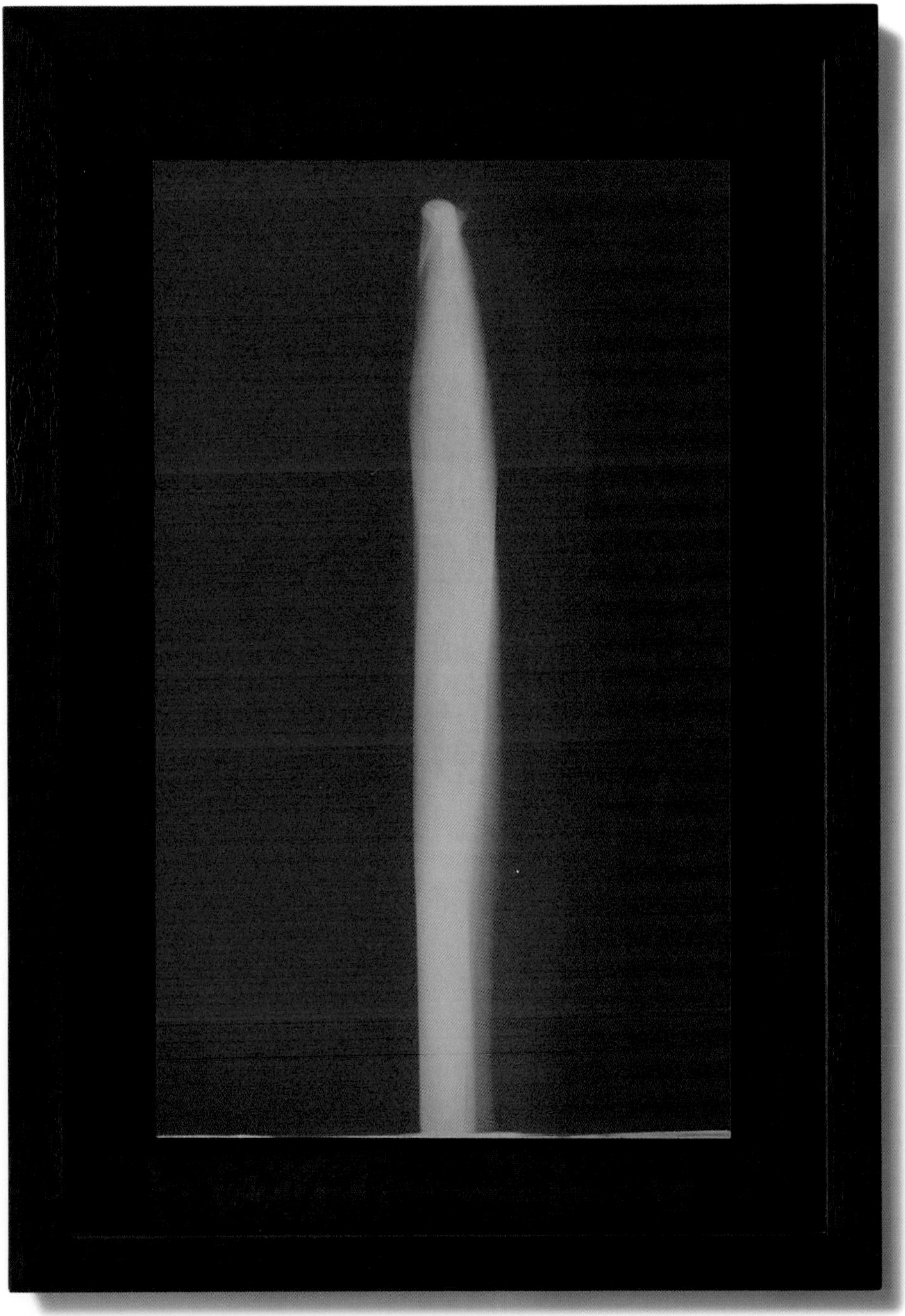

HeArtにはArtがある、
アートは魂。

俺達は属せないから、アーティスト。

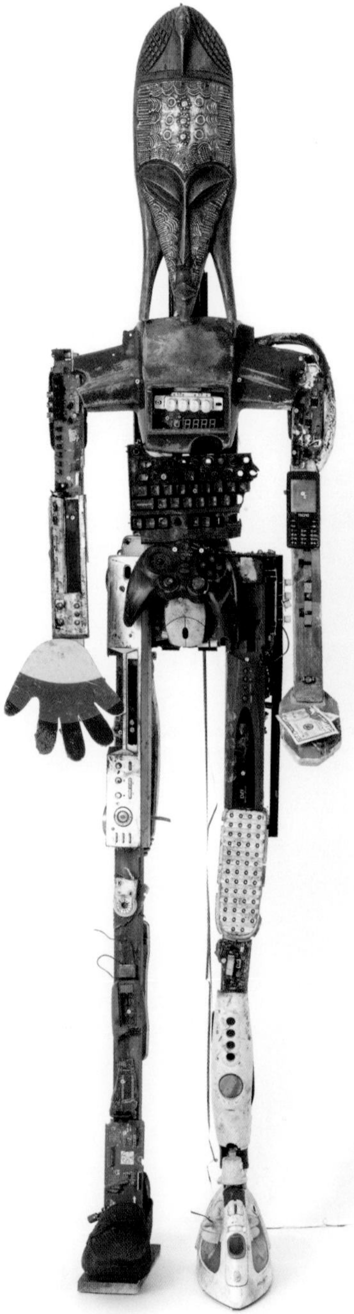

お金に価値がなくなる日は来る。

BLACK
economy
Toys

なぜ、人類が圧倒的な発展を遂げたか？
それは数億年蓄積された、地球資源エネルギーを
この半世紀で一気に使い果たしたからだ。

思考心理は奥が深い、真実までたどり着いたかと思うと、その部屋には目を凝らすと、まだ鍵のかかったドアがある。

恋、それは太陽のように燃え上がり、

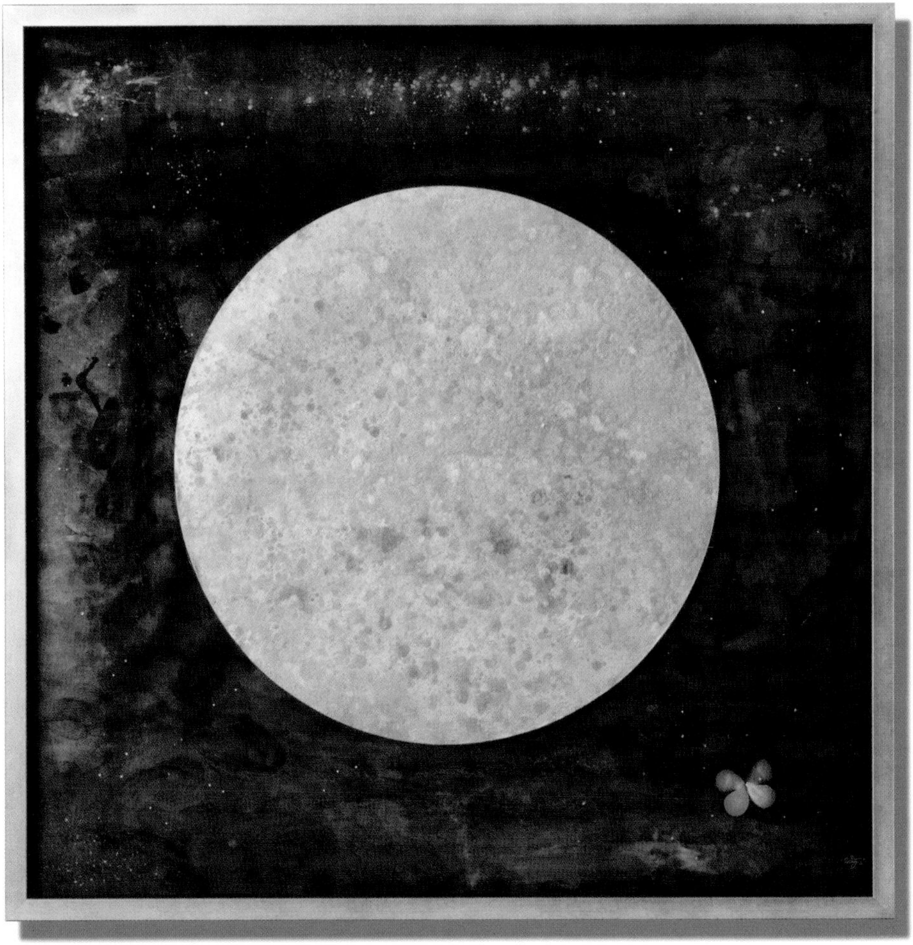

愛、それは太陽の光を
受け止め育む満月のよう。

人は絶対自分に溺れてはならない。

朝起きて、
鏡を見るとそこには何回見ても自分がいる、
何回見返してもこの事実を変えることは不可能で、
これを人はさだめと呼ぶ、
鏡に映った自分と目が合い、　ふとそんな事を思ふ。

自分の名前は真護なんだけど、
親が真実を護るって意味でつけたんだよ。
実直に生きる、そのまま。
汚い大人はホント嫌い、
偽りの大人は頭冷やしたほうがいい。

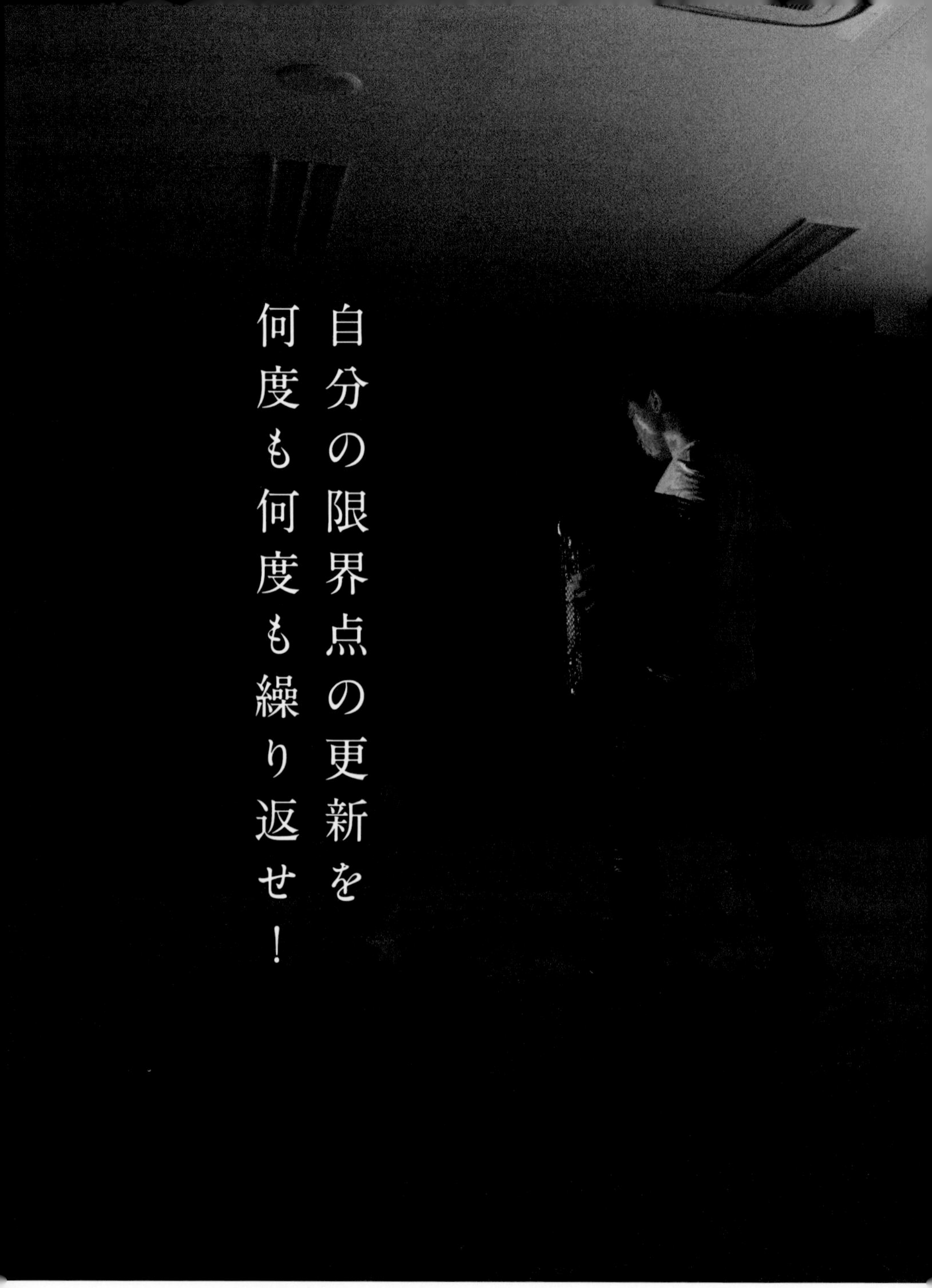

自分の限界点の更新を
何度も何度も繰り返せ！

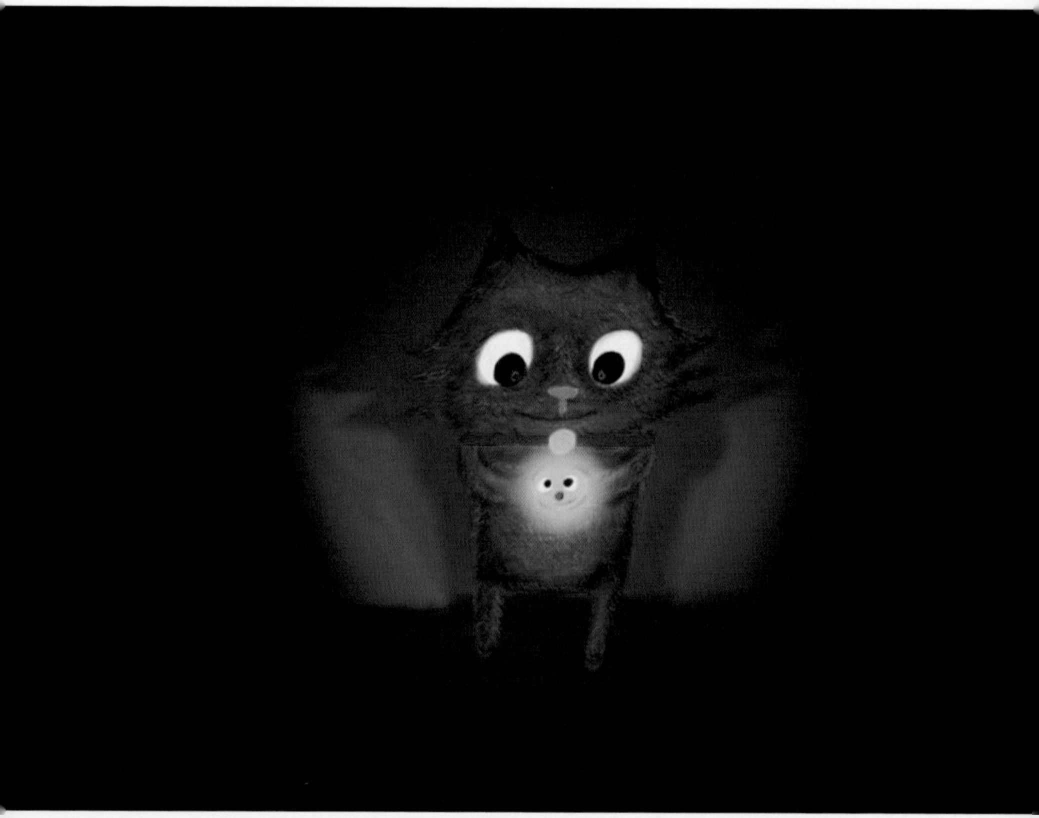

心、心で明日は描くよ。
真心、mago コロ。

嫌なこともあるけれど、
それ以上に純な人たちの方が多い。
従って、幸せだと。

success
成功

本物の必然性さえ求めれば、
人は必ず才能が開花する。

本当の成功とは、
自分のDNAを理解し、
添い遂げられたか、
られないか、これだけだ。

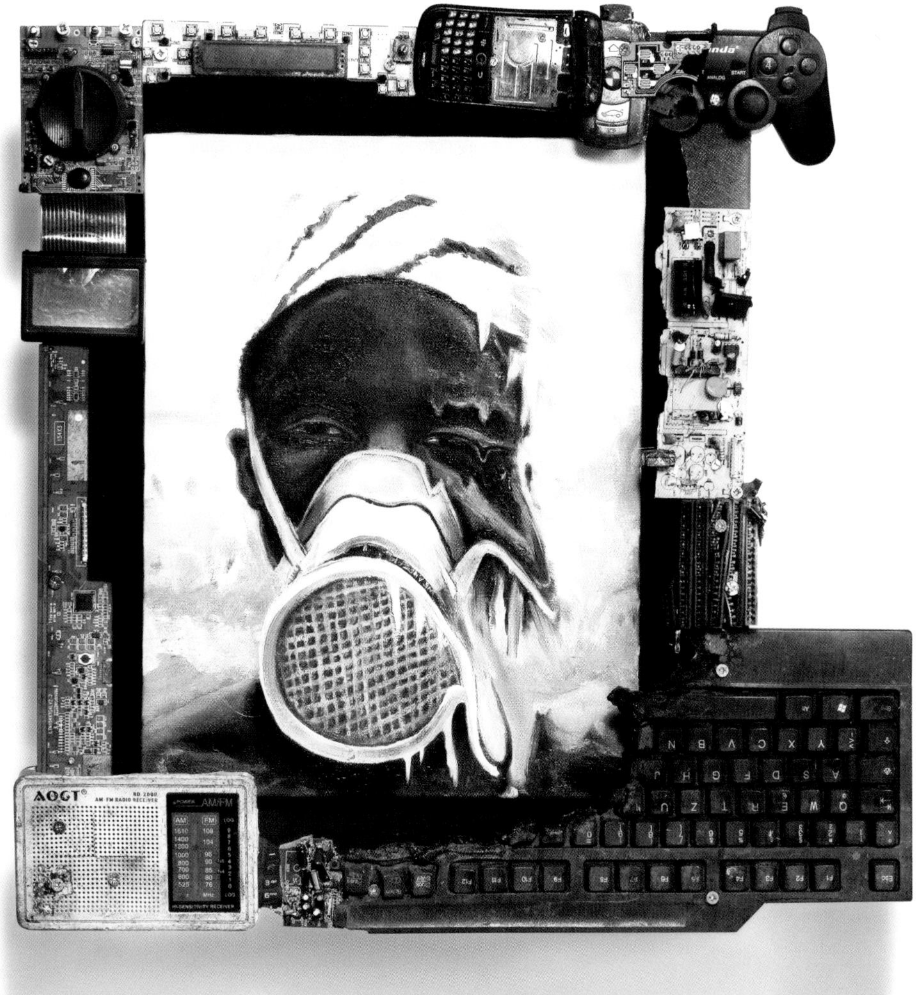
AOGT

成功というのはするものではなく、残ってしまった事例の事である。あなたがオリーブの実に生まれたのならサラダ油になれないように、君の元々の素材はなんなのか？努力や挑戦の前に知っておく必要がある。あなたはなんの素材から成る人ですか？

成功者とは、問題を解決した人のこと、
てことは問題が無ければそもそも成功者に
なれないよ。

Longing

Accumul
atedpro
blems

成功するまで描く。

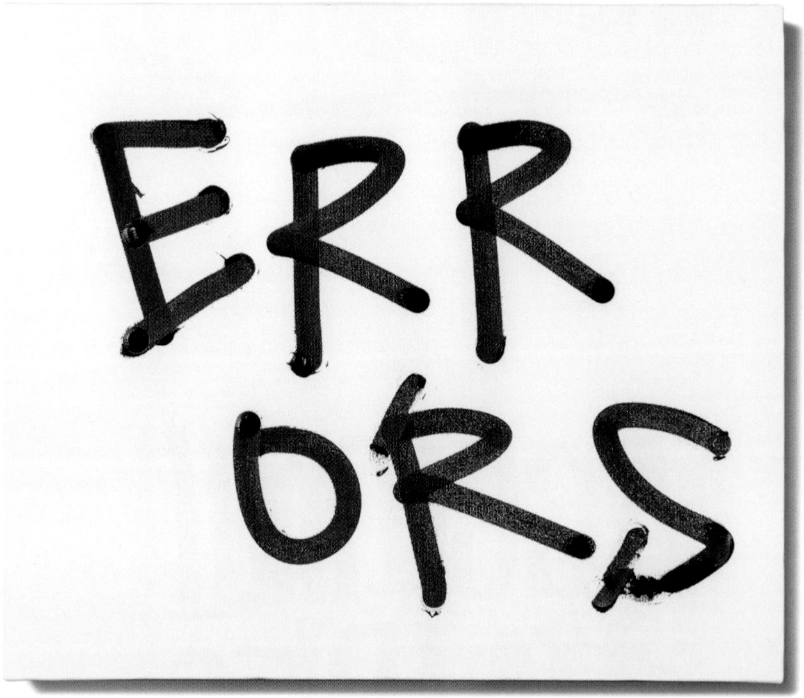

SOME
THING
NEW

問題が有るからこそ、解決できる、
困難があるからこそ成功できる。

バカは小さい努力を重ねるべき、他と比べず。
（自分のことね）

日本のルールが邪魔するなら、
走りかたを変えるより、
その足で違う大地に行けばいい。

人間てのは、
どうしても思考に頼りたくなる、
確かに考えに考え抜くと失敗はない。
でも勇気を持って、
考えないで行動を繰り返すと失敗も少しあるけど、
そこには大成功が待ってるんだよね。
考えるな、挑め！

これからクリエイターに求められる資質は
0から1を創るのではなく、
1から0を創る事。

やらなくて後悔するなら、
やって後悔しよう。
なぜなら、やらなかった後悔は残るものは
確実に1つもないから。

明日の未来を
するよ

弱者だって、嚙《か》みついて強者の
急所を射る事ができるはず。

Tool
人生の
MY LIFE

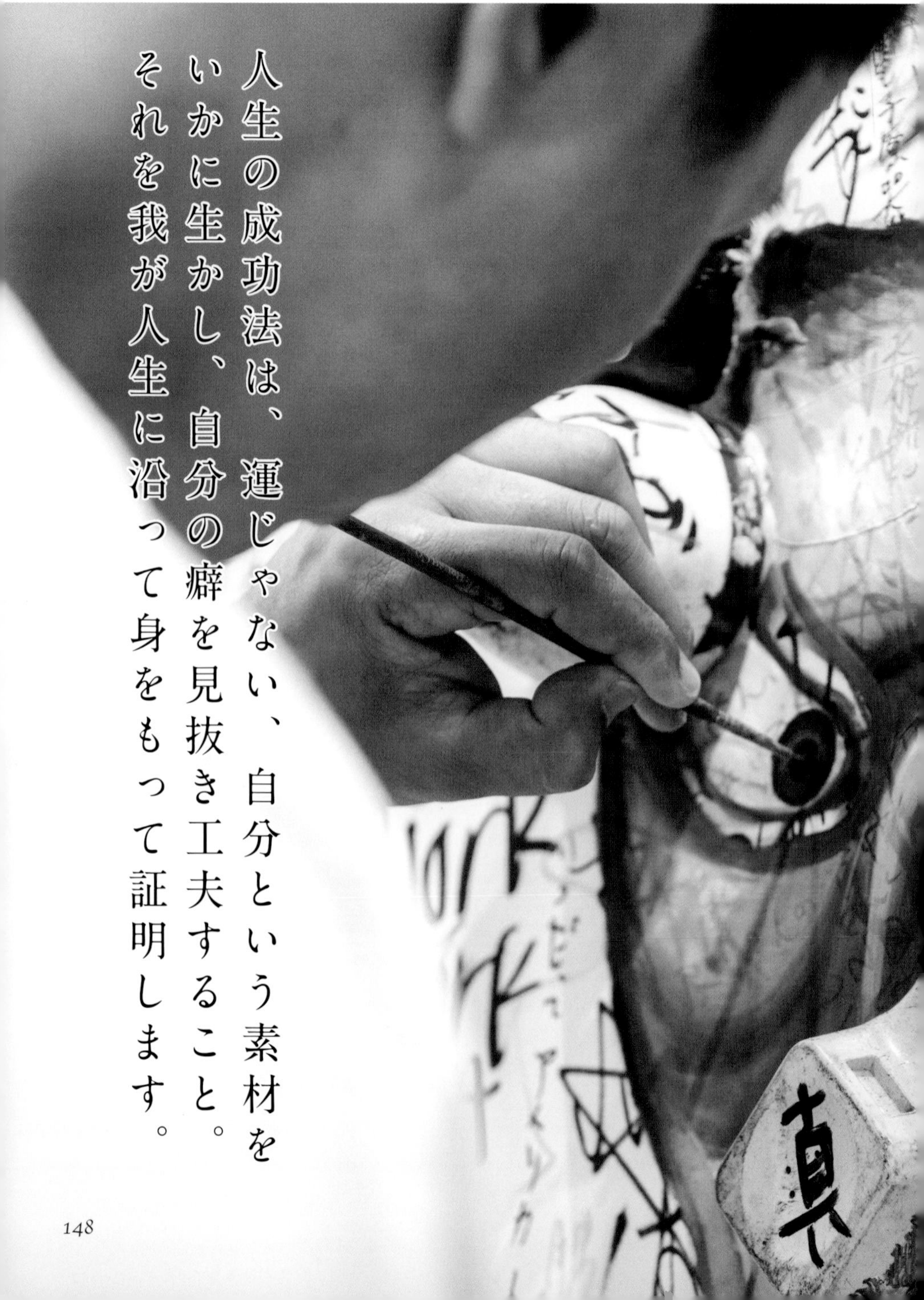

人生の成功法は、運じゃない、自分という素材を
いかに生かし、自分の癖を見抜き工夫すること。
それを我が人生に沿って身をもって証明します。

Sometimes
I want to go
I have a flower and STAR
shooting
I am Super STAR
I like SLUMS.
Born from SLUMS in GHANA
TNP19?059

できるかできないか、やってみない
とわからない、だからやる。
失敗は成功への布石。
後悔だけはやり直せない。

誰にも干渉されない世界、
そこに行くまでもう少し。

無の境地とは、土地を譲りたがらない
頑固な心の地主（自分）が違う誰かに
無償で自分の心の土地を明け渡す事。

そして自分の土地を100%他の誰かに
渡した時。
無の境地に達したということ。
この土地に建ったものが新しいことを
教えてくれる。

ひとつだけ僕は確信してる、
世の中で成功できている人は、
馬鹿でも、天才でも、凡人でも素直な人だけ。

SOLDERING
??

self
自己

We
WANT
TO BE
A SOMEONE

背伸びして１００歩も歩けないだろう、
背伸びをしなければ10キロは１日歩ける。
得る事が多いのはどちらですか？

攻めようぜ、
人生なんて瞬《まばた》きしてるうちに終わるから。

その人の人生に用意された椅子は1脚しかない。

JAPIN
SONY

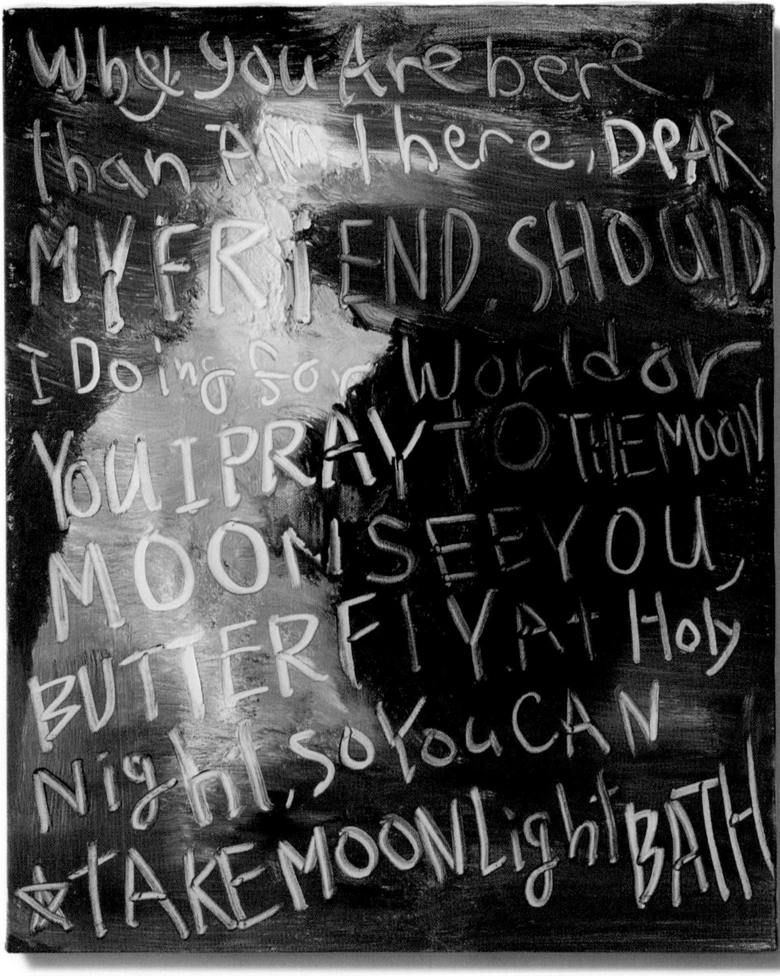
Why you Are here
than AM I here, DEAR
MY FRIEND, SHOUID
I Doing for World or
YOU I PRAY TO THE MOON
MOON SEE YOU,
BUTTERFIY At Holy
Night, so You CAN
TAKE MOON Light BATH

失敗しても後悔しない挑戦をしなさい。
後悔しそうならやめなさい。
やみくもに努力や挑戦する事はやめなさい。
君の無限の可能性は有限の人生の上にある。

人はどうしても楽なほうに流れたくなる、
それはなんでだろう。
努力したほうが楽になるのに。

可愛い子には旅をさせよ、でなく、
可愛い自分には旅をさせろ。

俺は生きてるんじゃなくて、
DNAの通り生かされてる。
本能に従え。

Mobil 1

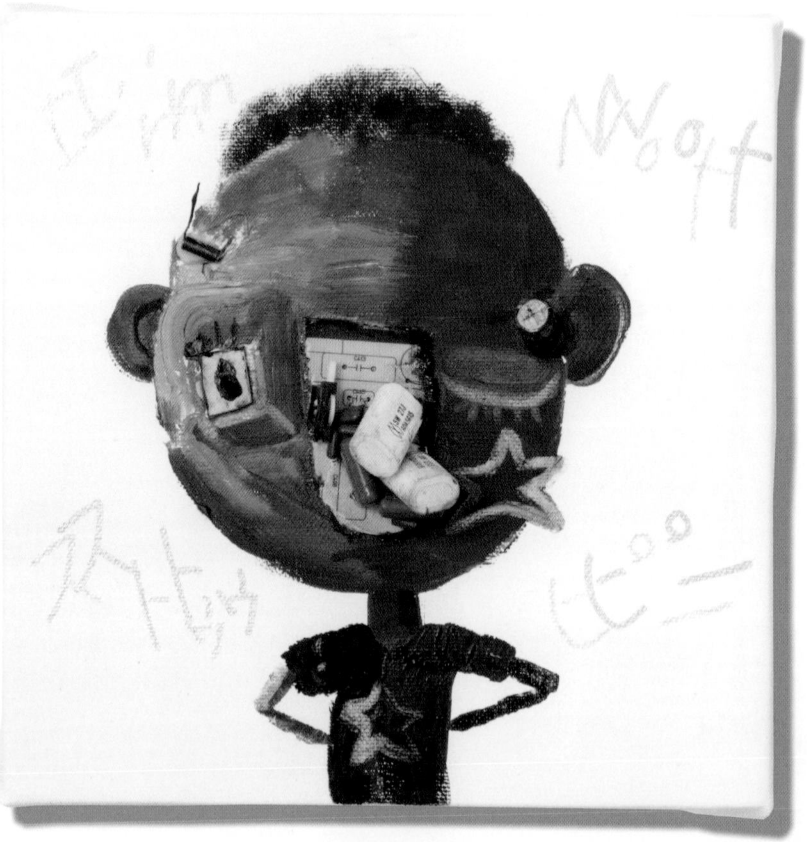
I am
Not

同性にヤキモチ焼くときは完全に負けてる証拠。
異性にヤキモチ焼くときは完全に惚れてる証拠。

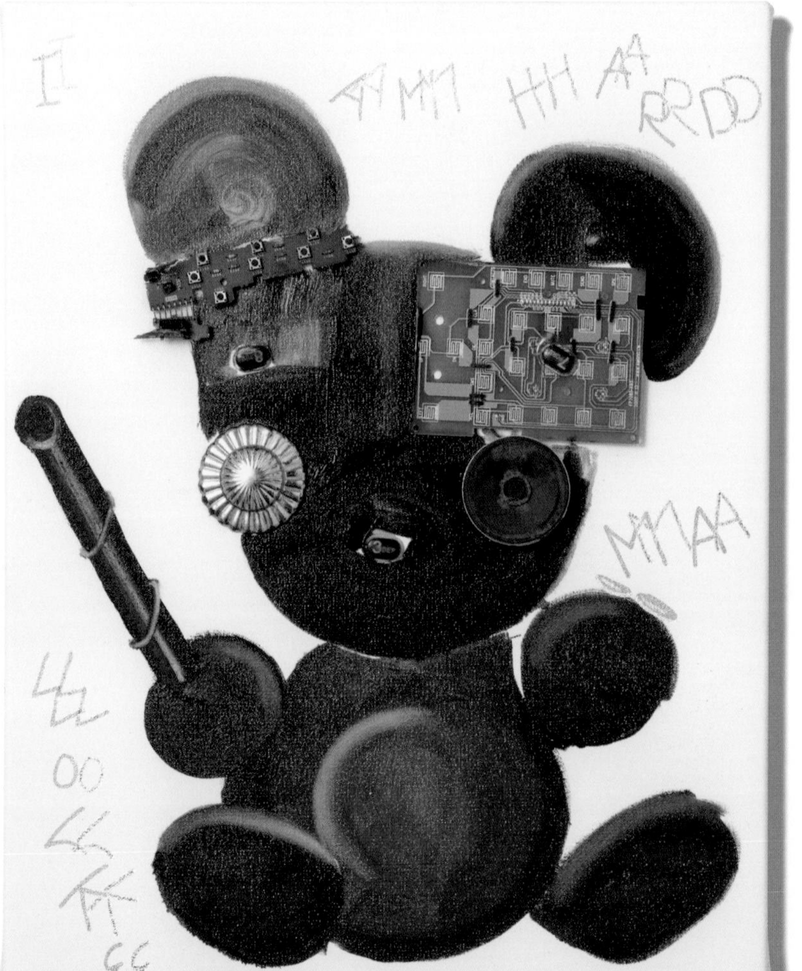
II
AAMM HHAARRDD
MMAA
LL
OO
LL
KK
GG

周りの流行に付き合うなら、
自分の好きな事に時間をさこう。

Will

感情が落ち着いた、
年取れば取るほど、少年になれる。
経験は美しい心を育む。
人付き合いも切るところは切る。
中途半端な人間はやはり合わない。

自分の悲しみや苦しみを
みんなに見せていいと思う。
ごまかすくらいなら。

１日やるかやらないかでだいぶかわるね。
人生とは。
たった１日努力すればいいだけだよ。

NO SMOKING
DO NOT FEED
BIRDS
S.M.M.C. 4.04.390

一年が一日のように終わるように
なりたいのである。

peace
GHANA
Tokyo, LA,
sustainable
Still
10TH
DREAM
COME HERE
STAR
Capitalism
NEXT
2029

成功したことは一回もないけど、
ずっと挑戦させてもらってるから
すごい幸せな人生。

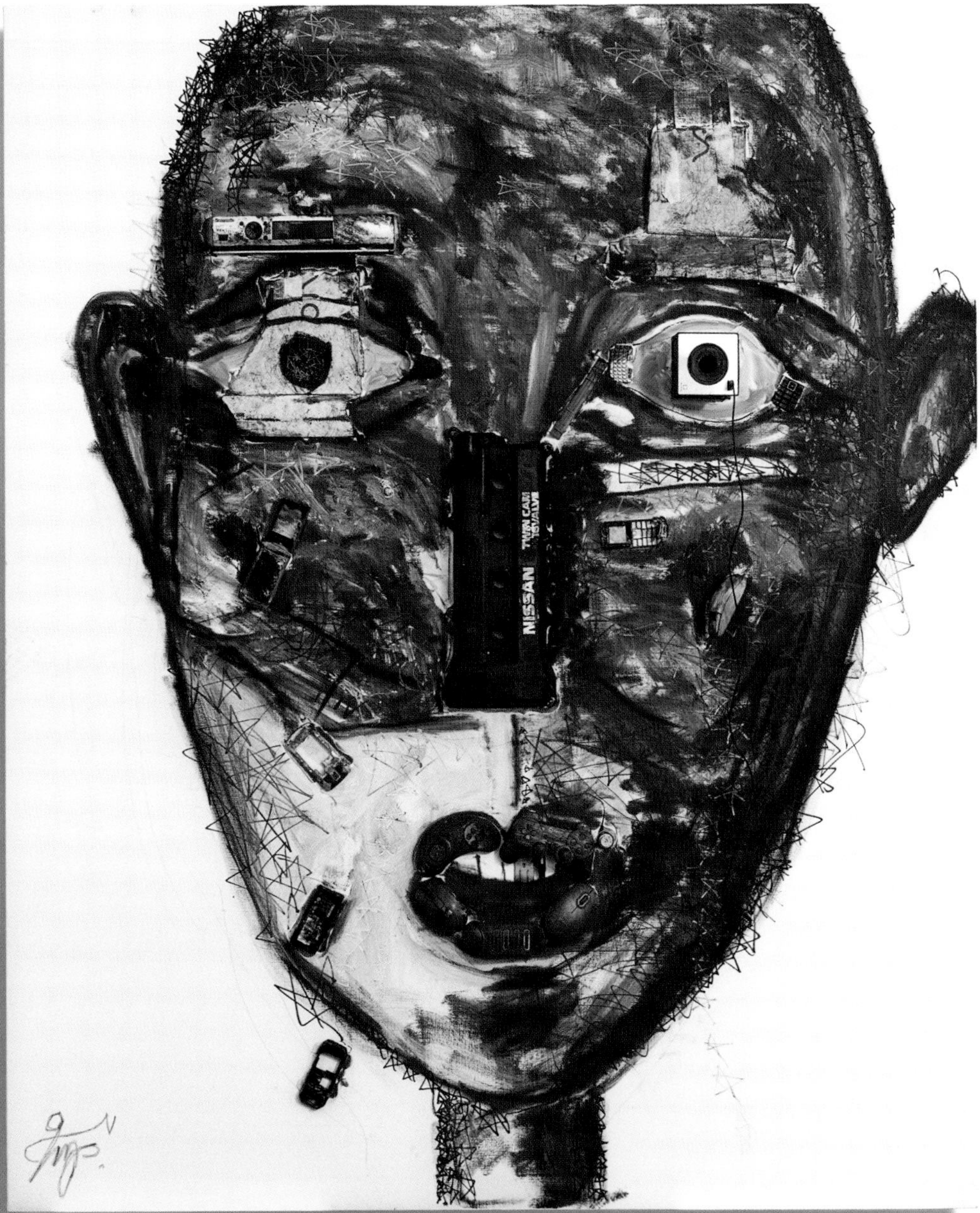
NISSAN
TWIN CAM

自分に厳しく生きろ、と念じる。
人のせいなんてするな、絶対に。

死んだっていいから、
生きることにこだわりをもて。

絵を見ると、正義と共に生きようと思える。
真実の絵。
逆に絵がなければ、私は怠惰ならず者、
不道徳者になっていた。

dream
夢

花だと思うなら花。

あなたのその目は美しい夢の方向を見据えるためにある。
あなたのその手は毎日の努力に使う事ができる。
あなたのその足は一歩一歩、夢の方向へ踏み出すためにある。

出来ない事は自分がイメージしなかった
ことだけだ！

誰でもみんな、
背中に翼を持っている。

何が現実なのかなにが夢物語なのか、
世の中が作り出したものは
全てパラドックスじゃないか。

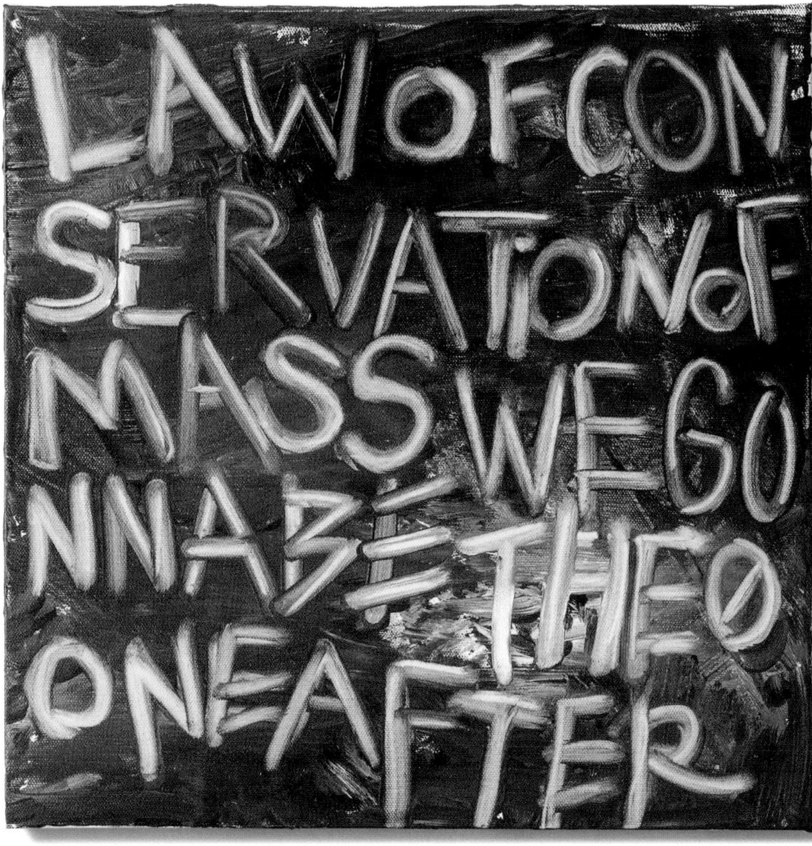
LAWOFCON
SERVATIONOF
MASSWEGO
NNABETHEØ
ONEAFTER

これがプラスチックゴミの墓場です、
プラスチックは土に還れません。
少しでもプラスチックゴミがなくなる
世界を夢見てます！
スラム街アグボグブロシーにて。

夢を見たいなら、足元を見よ、
夢を叶えたいなら、その足で目的地を目指せ。

mission
使命

僕の画家のミッションは
地球という広大なキャンバスに
世界平和を絵《え》描《が》く事。

全てを欲しがらない、絵だけで生きる。

絵は上手いか下手かじゃない、
欲しいか欲しくないか。

自分の欲、もし忘れる事ができたら
どこまで高く飛べるだろう。

HOW to FUCK
DONTFUCKWITHME

全ては次の瞬間のために
用意されている。

世界には我々のために癌《がん》になりながらも、トタン屋根の下で必死に生きようと肩を寄せ合い生き抜いている、美しい命がある。

その美しさをみんなに伝えたい。

アートはガーナのスラムの街を救う。
その一端を一緒に見ていただけたら
作家としても、一先進国の一員としても
嬉しく思います。
美しい地球と世界平和のためにこれからも、
全力で絵を描き続けます！

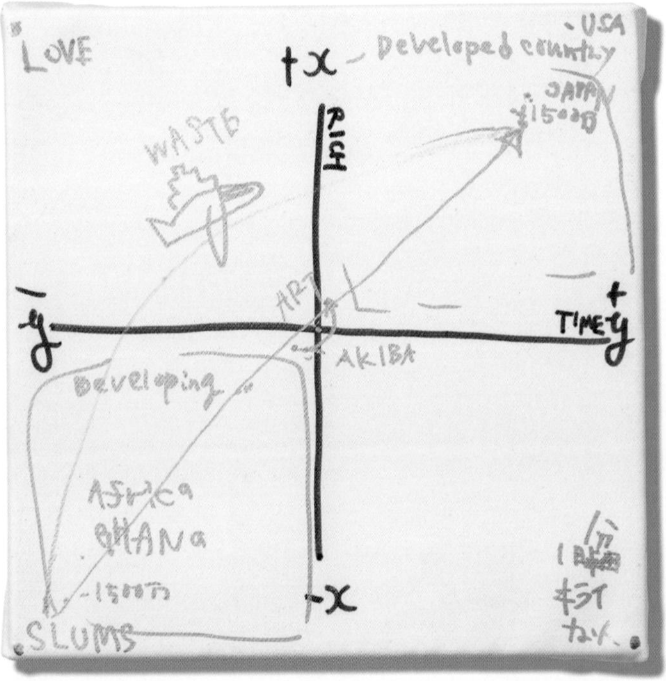

LOVE
+x
Developed country
USA
RICH
WASTE
ART
TIME
y
AKIBA
Developing
Africa
-x
SLUMS
キライ

私は慈善活動家でもなく、秀でた絵描きでもなく、有能な経営者でもない、どのカテゴリーにも当てはまらないのですが、この美しい地球に住まわせていただいている一人の人間として、精一杯我が画業人生を懸け、未来の子供たちにこの美しい地球をひとりでも、1日でも多く見せてやりたいのです。

これが私が今日の社会にアート活動をする唯一の原動力であり、この野蛮な資本主義経済、競争原理ファーストな社会を終わりにさせたい。

FLAGS VISION
FLYING TIGER
Halløj Shinjuku!
FLYING TIGER
Flags

絵は、私に、単に芸術的センスを与えたばかりではなく、かけがえのない仲間、富、名声、さらには貧困地に住むガーナ人たちを救う切り札になる凄《すさ》まじいエネルギーを与えてくれています。

アートがなければ、上記の全ての事が現実にならなかったはず、アートがなければ私はどんな人生を送っていたのであろうか？

2029年の自分に告ぐ、必ずアートで世界平和を実現しなさい、そしてまた、この全てのアートライフが始まった、この新宿駅に戻り絵を描く事を約束しなさい。

あの時の青年の心で今も次の10年も生きます。

全ては世界平和のためにこれからも夢を現実に筆を握ります！

STAR
BOY

清々しい朝、今年も美しい人間でいられますように。
ガーナの子供達が健やかに育ちますように、労働者に幸せが
ありますように、自分ができる最大限を彼らに。

自分の精神にぶれず、
明日も絵を描く！

君の行動に愛はあるか？

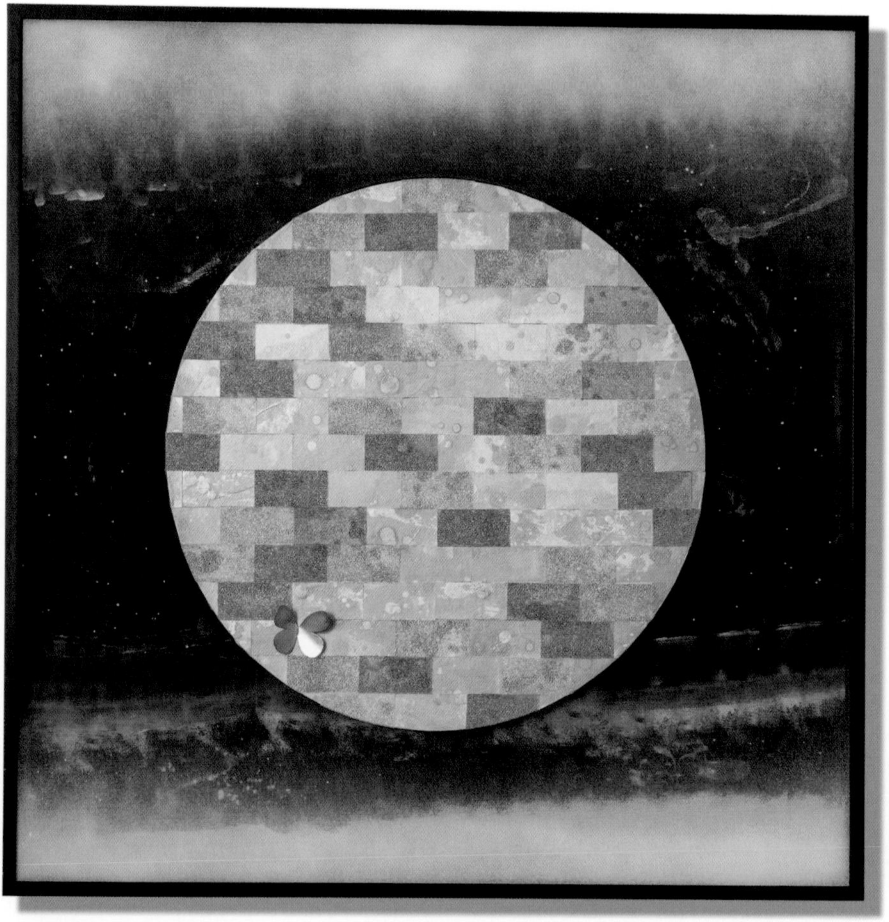

「心の月」

作曲・演奏／長坂真護

QRコード

作品名一覧

装丁	Malco
P.32	星のスタンド
P.35	ガーナの子
P.36	FULL MOON "LOVE"
P.39	無精卵を被る女
P.42	Hope Star
P.45	気づいた人
P.46	牛にのり働く少年
P.48	FULL MOON "Rainbow"
P.51	I am caw tell you
P.52	Ghana's Flag, 2018
P.55	Welcome to our world
P.56	It will Rain but I'm Happy
P.60	When I was your...
P.67	I can fly, If you have money…
P.69	We Are The Same Base
P.70	A GIRL
P.72	Relativity on You
P.84	E-Waste Tree 2019
P.85	相対性理論
P.86,87	2 years old Abidu is working and sister at slums
P.91	We are in the same box
P.92	炎の妖精
P.94,95	the mass = one
P.97	He is Hoping
P.98	Red energy
P.100	Proud of You
P.102	E-Waste God
P.104,105	Reality of Capitalism
P.107	Black Stars
P.108	THE SUN
P.109	FULL MOON "月の香"
P.110	僕はその向こうを知っている
P.115	TekuTeku Soldier
P.118	シンキーくん
P.124	Where are you coming?
P.127	We are the same
P.128	synapse1
P.129	synapse2
P.131 上	Longing
P.131 下	Accumulated Probrems
P.132	Errors
P.133	Something New
P.135	二丁拳銃の女
P.138	質量保存の法則
P.143	NEW MOON,2019
P.145	明日の未来をプレゼントするよ
P.147	This is my weapon
P.150	I wanna be a super hero at slums
P.153	世界平和の空気清浄器 "満月"
P.155	E-Waste Tree
P.157	Who am I?
P.160	We want to be a someone
P.165	Designed in Japan 2020
P.166	月光浴
P.168	That way
P.174	I'm not Stoopy
P.176	I'm hard workuma
P.178	Will
P.181	Wind Spins
P.185	Dream come here next 2029
P.187	Malco
P.188	Colorful Dinosaur
P.193	プラスチック化する青年
P.196	Poppy flowers blooming over the war
P.200,201	夏の風
P.203	unicorn
P.205	質量保存の法則 (グラフィティ)
P.212	We are the one
P.215	秋の萌ゆ
P.217	Abidu on the Ground(立体)
P.219	Don't fuck with me
P.220	Plastic boy
P.221	燃え盛るタイヤ
P.223	真実の湖 II
P.226	相対性理論 (図解)
P.233	Eternal Mind
P.236	FULL MOON "心の月"

福田秀世（Fukuda Hideyo）プロフィール

福岡県生まれ。日本大学芸術学部・写真学科卒業。
1990年 有限会社サウザ 設立。
同年、イワモトケンチ監督作品映画「菊池」で撮影を行い、
1991年度ベルリン映画祭フォーラム部門「ウォルフガンク･シュタウテ賞」を受賞。
2009年 ハウススタジオ「Studio BRICK」をオープン。
2014年 写真展「NOTHING BUT THE GIRLS」、2017年 写真展「VIVI E LASCIA VIVERE」を開催。
これまでに宇多田ヒカル「Automatic」PV･CDジャケットをはじめ、数多くのミュージシャンやアーティストを撮影。
広告、雑誌、webなどでは表紙やファッションページを長年に渡り手がける。
ライフワークとしてポートレートを大切にしており、2020年、新たに「Studio GoodLife」を立ち上げる。
2015年より美術家長坂真護と活動を共にし、環境や社会問題にも関心が深い。

STAFF

企画・編集　石島友子
執筆(P.12〜27)　廉屋友美乃
デザイン・DTP　濵田恵子
写真提供(P.4,5,88,89)　Tokio Kuniyoshi
PR・プロモーション　西垣友裕(株式会社 トゥッティ フルッティ)

君の行動に愛はあるか?

令和2年(2020) 10月20日 第1刷発行

著　者　長坂 真護
写　真　福田 秀世
発行所　株式会社 1万年堂出版
〒101-0052　東京都千代田区神田小川町2-4-20-5F
電話 03-3518-2126　FAX 03-3518-2127
https://www.10000nen.com/
製　作　1万年堂ライフ
印刷所　凸版印刷株式会社

ISBN 978-4-86626-064-8 C0030